PAS DE
stress!

Comment gérer
les petits soucis
de la vie

Helaine Becker
Texte français d'Isabelle Allard

Éditions
■SCHOLASTIC

Catalogage avant publication de Bibliothèque et Archives Canada

Becker, Helaine, 1961-
[Don't stress. Français]
        Pas de stress! : comment gérer les petits soucis de la vie /
Helaine
Becker ; texte français d'Isabelle Allard.
ISBN 978-1-4431-6031-5 (couverture souple)
        1. Stress chez l'enfant --Ouvrages pour la jeunesse. 2.
Stress--Ouvrages
pour la jeunesse. I. Titre. II. Titre : Don't stress. Français
BF723.S75B4314 2017   j155.4'189 042
C2017-900662-2

Références photographiques :
Page 31 : Simon Kwan © Scholastic Canada Ltd.; Shutterstock.com
pour tout le reste.

Édition publiée par les Éditions Scholastic, 604, rue King Ouest,
Toronto (Ontario) M5V IEI CANADA.

5 4 3 2 I   Imprimé au Canada 139   17 18 19 20 21

Table des matières

Introduction

Ce n'est pas un secret : les jeunes éprouvent autant de stress que les adultes. Tu as des responsabilités, comme ne pas arriver à l'école en retard, faire tes devoirs et accomplir des tâches à la maison. Tes relations avec tes amis, ta famille ou tes camarades de classe ne sont pas toujours parfaites, ce qui peut aussi provoquer du stress.

Ce n'est pas un secret non plus que la plupart des jeunes n'exercent pas un grand contrôle sur leur vie. Par exemple, tu ne peux pas choisir le menu du souper, à quelle heure l'école commence ni les devoirs que tu dois faire. Pas étonnant que tu te sentes dépassé par moments.

Ce livre contient des douzaines de conseils sur la façon de faire face au stress. Il t'aidera à reconnaître le genre de situation qui t'irrite, afin que tu puisses gérer tes réactions et rester calme.

Tu ne seras peut-être pas intéressé immédiatement par toutes les suggestions. Il n'y a pas deux personnes, ni deux situations, exactement pareilles. Toutefois, quelques-unes de ces idées te conviendront sûrement et t'aideront à traverser des moments que les jeunes trouvent généralement difficiles.

Alors, mets un peu de musique (page 74), installe-toi confortablement avec un bon livre (celui-ci!) et détends-toi!

Étire-toi

Tes muscles ont travaillé fort toute la journée. Dis-leur merci avec un loooong étirement.

Lorsque tu t'étires, c'est comme si tu donnais un minimassage à tes muscles. Le sang y afflue et les réchauffe. L'étirement détend également les fibres musculaires contractées. Cela aide le reste de ton corps à se sentir plus détendu.

Passe quelques minutes à t'étirer avant de dormir. Tu dormiras comme un bébé.

Le cou

Regarde en avant. Amène lentement ton oreille droite vers ton épaule droite. Recommence de l'autre côté.

Les épaules et le dos

Agenouille-toi par terre, le dessus de tes pieds à plat sur le sol et la plante vers le haut. Assieds-toi sur tes talons. Incline-toi lentement en avant à partir de la taille, en appuyant ton torse entre tes cuisses et en abaissant ton front vers le plancher. Laisse tes bras retomber dans la position la plus confortable (en avant, sur les hanches ou écartés). En conservant cette position, inspire et expire durant trois à cinq respirations.

Les bras et la taille

Tiens-toi debout dans une position confortable
et tends les bras vers l'avant. Entrelace tes
doigts, les paumes vers toi, et lève les bras au-
dessus de ta tête. Sens tes bras s'étirer.

Tourne les paumes vers le ciel et étire de
nouveau les bras (pour étirer des muscles
différents). Les mains toujours jointes, penche-
toi lentement vers la droite à partir de la taille
tout en gardant la position. Redresse-toi, puis
répète du côté gauche.

Les mains et les poignets

Assieds-toi confortablement et laisse tes bras
retomber de chaque côté. Secoue les mains vers
le sol. Agite les doigts et effectue une rotation
des poignets. Lève tes mains devant toi et
répète ces mouvements.

Ensuite, tends ton bras droit devant toi, les
doigts tendus et la paume vers le bas. En
gardant le bras tendu, utilise ta main gauche
pour plier doucement ton poignet et pour
ramener ta main droite vers ton corps, de
manière à diriger les doigts vers le haut.
Maintiens cet étirement 10 à 20 secondes.
Ensuite, plie la main vers le bas et garde cette
position. Répète de l'autre côté.

Termine la séance d'étirement en massant
doucement chaque main, une à la fois. Masse
chaque doigt individuellement. N'oublie pas
de masser les paumes et les espaces entre les
doigts! Secoue chacune des mains pour enlever
toute trace de stress résiduel.

Les enfants sourient plus
que les adultes : 400 fois
par jour en moyenne.

Souris

Lorsque tu souris (même si tu te forces), ton
cerveau reçoit un message disant : «Je souris,
donc je dois être heureux.» Quelques minutes
plus tard, ton humeur s'allège et tu fredonnes
un air guilleret.

Si tu souris à quelqu'un, il y a de bonnes
chances qu'il t'adresse un sourire en retour.
Cela aidera aussi à te mettre de bonne humeur.

Exerce-toi à respirer ainsi quand tu es détendu afin de pouvoir utiliser cette technique quand tu en auras besoin.

Respire

Respirer est l'un des gestes les plus importants que tu fais chaque jour. Tu ne peux pas vivre sans ça! Une inspiration plus profonde que la normale accroît la quantité d'oxygène reçue par tes cellules. Cela te donne plus d'énergie, tout en étirant les muscles de ta poitrine et en massant les organes dans ton ventre. Ton corps n'en fonctionnera que mieux.

Des inspirations longues et profondes envoient aussi au cerveau et au corps le message que tout va bien et qu'ils peuvent relaxer.

Si tu te sens stressé, ce type de respiration t'aidera à te sentir plus calme.

Commence en plaçant une main sur ton ventre et une autre sur ta poitrine. Inspire par le nez. Laisse l'air entrer profondément dans la partie inférieure de tes poumons. Tu sentiras ton ventre se gonfler sous ta main. Ta poitrine demeurera relativement immobile.

Inspire en comptant jusqu'à trois.

Expire ensuite par la bouche en comptant jusqu'à trois. Sens ton ventre se creuser sous ta main.

Recommence cinq à dix fois, ou jusqu'à ce que tu te sentes apaisé.

Les mandalas colorés, aux motifs circulaires complexes, sont utilisés comme outils de méditation depuis des milliers d'années. Ce sont aussi des motifs agréables à colorier.

Colorie

Il y a quelque chose de très apaisant à remplir des cases de couleurs vives et à voir une magnifique image surgir. C'est peut-être pour cette raison que les livres à colorier pour adultes sont si à la mode!

Pourquoi les adultes seraient-ils les seuls à s'amuser? Tu peux aussi te détendre en sortant tes marqueurs et en consacrant quelques minutes à la thérapie par la couleur!

Vois les choses du bon côté

Bon. Ton chien a *vraiment* mangé ton devoir. Vois cela du bon côté : tu possèdes maintenant une occasion en or pour transformer une situation déplaisante en une anecdote tordante.

Mime ce qui s'est passé devant tes amis. Souligne l'aspect comique grâce à des gestes, des sons canins et d'autres effets dramatiques. Cela provoquera à coup sûr le rire de tes amis... et le tien.

Rêvasse

Peux-tu t'imaginer en train de gagner une médaille olympique, d'accepter un Oscar ou de sauver le monde en tant que superhéros?

C'est amusant de rêvasser. C'est également excellent pour faire baisser le stress. Imaginer des situations agréables peut t'aider à résoudre des problèmes ou déterminer des objectifs. Cela améliore l'humeur et aide à mieux dormir. De plus, cela procure un répit temporaire lors d'expériences stressantes ou désagréables.

Laisse donc ton esprit vagabonder de temps à autre. (Mais pas pendant que ton enseignant explique un nouveau concept mathématique!)

Compte jusqu'à dix

Es-tu sur le point de perdre ton calme? Compte lentement et silencieusement jusqu'à dix avant de réagir.

Cette minipause donnera le temps à ton cerveau de s'ajuster à tes émotions. Tu te sentiras plus calme et tu prendras de meilleures décisions. Tu peux compter là-dessus!

Fais «pousser» tes propres fleurs en les dessinant sur du carton. Découpe-les et place-les dans un contenant original pour une allure festive. L'avantage est que les fleurs en carton ne se fanent jamais!

Compose des bouquets

Place un brin de muguet dans un élégant vase bleu. Ou bien cueille une brassée d'asters violets au bord d'une route et dispose-les dans un vieux pichet.

Peu importe ton style ou la saison, les fleurs sont toujours à la mode. Et bien sûr, elles sentent tellement bon! Pas étonnant qu'un joli bouquet, surtout si tu l'as créé toi-même, te fasse sourire à tout coup!

Reste dans le présent

Laisse le passé dans le passé. Concentre-toi plutôt sur ce qui se passe ici et maintenant.

Vas-y, essaie! Observe ce qu'il y a autour de toi. Que vois-tu? Que sens-tu? Qu'entends-tu?

En te concentrant sur le moment présent, tu te libères afin de créer un futur plus heureux et détendu.

Médite

Tout le monde a besoin de tranquillité de temps en temps. Méditer, c'est-à-dire se plonger dans des pensées sereines ou la contemplation, est une bonne façon d'obtenir la tranquillité et d'en profiter! C'est probablement une activité que tu fais déjà, du moins à l'occasion.

Quand tu médites dans un but de relaxation, l'objectif est de te vider consciemment l'esprit. Au début, c'est difficile à réussir. Ton esprit est un lieu très occupé, actif et bruyant! Mais avec le temps, cela deviendra de plus en plus facile. Un esprit vide, c'est un esprit calme et silencieux.

Trouve un endroit confortable où tu ne seras pas dérangé. Mets-toi à l'aise. Ferme les yeux. Essaie de ne penser à rien d'autre qu'au son et à la sensation du souffle qui entre et sort de tes poumons. Si une pensée te traverse l'esprit, ne la retiens pas. Place-la mentalement «sur une tablette» et laisse-la. Certaines personnes trouvent utile de se concentrer sur un mot, un son ou une image en méditant. Ces techniques peuvent aider à éloigner les pensées distrayantes.

Quand tu seras prêt, ouvre les yeux et étire-toi.

Voilà, tu viens de méditer!

17

Garde un carnet et un crayon à côté de ton lit. Si tu te réveilles au milieu de la nuit en pensant à une tâche urgente, note-la, puis retourne au pays des rêves. Après une bonne nuit de sommeil, tu seras prêt à affronter la journée, ta liste de choses à faire en main.

Dresse une liste de tâches

DRRRRING! Ton alarme sonne et tu sors du lit, déjà pressé. Il y a tant de choses à faire ce matin : nourrir le chien, apporter l'autorisation pour la sortie scolaire, ne pas oublier le devoir de maths sur lequel tu as tant travaillé! Pas étonnant que tu oublies parfois des trucs. Et cela fait que tu te sens... AAAHHH!

Dresser une liste de choses à faire calmera ta panique et t'aidera à faire le suivi. Note chaque tâche quand tu y penses. Puis coche-la dès qu'elle est complétée.

Mange une collation santé

Tu es tendu? Irritable? Susceptible? Tu te sens peut-être ainsi parce que tu manques d'énergie.

Prends le temps de recharger tes batteries avec une collation santé. Tu te sentiras sûrement de meilleure humeur quand tu auras mangé une bouchée.

Évite les collations qui contiennent beaucoup de sucre ou de sel ajouté, les grosses portions d'aliments frits ou à haute teneur en gras (les petites portions sont acceptables) et les aliments transformés.

Prends une pause

Tu as travaillé toute la soirée sur ton compte rendu de lecture et tu n'en as fait que la moitié! Le temps presse! Que faire?

Prends une pause. Oui, vraiment. Lève-toi, marche un peu, étire-toi les bras, les jambes, le cou.

Quand tu reviendras à ton devoir, tu auras un regain d'énergie et de concentration. Tu accompliras plus en moins de temps, tout en étant moins stressé.

20

Planifie et répartis

Un gros travail te semble insurmontable?
Divise-le en plusieurs étapes.

D'abord, dresse une liste des étapes à suivre
pour compléter le projet. Ensuite, choisis des
dates butoirs pour chacune. Par exemple :

1. Faire des recherches sur les dinosaures de
   l'ère jurassique.

2. Choisir cinq espèces, puis trouver
   des caractéristiques et des détails
   intéressants à leur sujet.

3. Rédiger un paragraphe sur chacune.

4. Rédiger une introduction et une
   conclusion.

5. Relire et corriger.

6. Terminé!

De cette manière, ton mégaprojet jurassique
sera divisé en petites bouchées beaucoup plus
faciles à digérer!

Une douche chaude peut
être tout aussi réconfortante
qu'un bain. Dirige le jet de manière
à ce qu'il masse les muscles tendus
de ton cou et de tes épaules.

Prends un bain chaud

Remplis la baignoire d'eau chaude. Vérifie
la température en plaçant une main sous
le robinet. L'eau doit être chaude, mais pas
bouillante!

Essaie un peu d'aromathérapie! Ajoute quelques
gouttes d'huile essentielle à l'eau du bain (en
petite quantité pour de meilleurs résultats). Ce
bain parfumé t'aidera à te détendre. L'odeur
de l'huile de lavande est particulièrement
apaisante.

Plonge-toi dans l'eau et... *ahhhhh!*

Après ce bon bain chaud, applique un peu de
lotion pour le corps. Ta peau absorbera cette
substance hydratante en même temps que tu
t'administreras un massage relaxant.

Pratique un sport

Pratiquer un sport que tu aimes, ne serait-ce que quelques minutes, t'aidera à penser à autre chose que tes problèmes. Cela te procurera une pause mentale bienvenue. L'exercice physique stimulera ton cerveau pour libérer des endorphines, des substances neurochimiques qui réduisent le stress et favorisent un sentiment de bien-être.

En améliorant tes habiletés sportives, tu augmenteras également ton estime de toi, ce qui constitue un excellent antidote au stress.

Alors, chaque fois que tu sentiras la tension monter, passe quelques minutes à pratiquer ton sport préféré. C'est une façon championne de vaincre le stress.

Demande conseil

Parfois, la meilleure solution à un problème est aussi la plus simple : demander conseil.

Tu n'es probablement pas la première personne du monde à avoir rencontré ce problème. Un ami, un enseignant ou un membre de ta famille connaît peut-être la solution. Ou il peut t'aider à en trouver une.

Consulte plus d'une personne pour avoir des idées. Si tout le monde te propose le même conseil, il vaut sûrement la peine d'être suivi.

Toutes les suggestions sont différentes? Cela prouve qu'il n'y a pas une seule bonne réponse. Avec plusieurs idées parmi lesquelles choisir, tu pourras déterminer laquelle est la plus appropriée à ton cas.

Fais une sieste

Pelotonne-toi sur le canapé avec une couverture. Étends-toi sur l'herbe, à l'ombre d'un arbre. Ou encore, baisse les stores et blottis-toi dans ton lit avec ton animal en peluche favori.

Les courtes siestes sont comme de minivacances pour ton cerveau et ton corps. Tu te réveilleras avec une forme du tonnerre!

Voici quelques conseils pour une sieste réussie :

- Le meilleur moment pour une sieste est la fin de l'après-midi.
- Une courte sieste (10 à 20 minutes) donne un regain d'énergie. Une sieste plus longue (60 à 90 minutes) favorise la créativité et la résolution de problèmes. Les siestes peuvent aussi améliorer la mémoire et faciliter l'apprentissage.
- Dormir couché est préférable à dormir assis (même dans un fauteuil confortable).
- Plus la pièce est sombre, plus la sieste sera bénéfique.

Mets les pieds contre un mur

Quand ton monde te semble sens dessus dessous, une bonne façon de tout remettre d'aplomb est de te placer *toi-même* à l'envers.

Étends-toi sur le dos, les pieds sur une chaise, ou les jambes appuyées contre un mur. Après quelques minutes, tu te sentiras plus calme.

Pourquoi cette position est-elle si apaisante?

Certains pensent qu'en élevant les jambes au-dessus de la tête, on stimule le système nerveux parasympathique, celui qui indique au corps de digérer et se reposer. D'autres croient que c'est simplement une position agréable pour prendre une pause bien méritée.

Écoute les gens qui t'entourent. Sois attentif à leurs paroles, mais aussi au *son* de leur voix. Qu'est-ce que leur ton indique sur leurs émotions? En apprenant à mieux écouter, tu éviteras les malentendus. Tu te sentiras plus près des gens et vice versa!

Écoute les bruits autour de toi

Les bruits remplissent ta vie : des sons drôles, excitants ou ordinaires. Ils transmettent tous de l'information. Prends le temps de les écouter. De *vraiment* les écouter. Tu seras surpris de ce que tu entendras. Tu seras peut-être même surpris de ce que tu apprendras.

Quand tu te concentres sur l'écoute de sons autour de toi, tu cesses de te concentrer sur toi-même, ne serait-ce qu'un moment. Écouter attentivement t'aide aussi à te concentrer sur le moment présent, ce qui est un atout contre le stress.

Sois reconnaissant

Il y a de multiples façons d'exprimer ta gratitude.

Tiens un journal de gratitude. Inscris chaque jour une chose pour laquelle tu es reconnaissant. Tu seras plus conscient des aspects positifs de ta vie. Et s'il t'arrive d'être déprimé, tu pourras relire les notes des jours précédents afin de te rappeler toutes les bonnes choses que tu as oubliées!

Engage-toi à ne pas te plaindre ni rouspéter. Utilise cette énergie pour trouver ou faire quelque chose de positif.

Complimente quelqu'un au moins une fois par jour.

Partage une observation ou une opinion positive avec quelqu'un. Cette personne sera peut-être reconnaissante de ton intervention!

Prends quelques minutes chaque jour pour *remarquer* et *apprécier* les bons côtés de ta vie.

Dors : la nuit porte conseil

Tu as un problème épineux qui t'a préoccupé toute la journée, et tu ne trouves toujours pas de solution? Va te coucher! La nuit porte conseil. Quand tu te réveilleras le lendemain, la réponse t'apparaîtra clairement.

Tu es toujours dans le brouillard? Ne t'inquiète pas. Ta nuit de sommeil t'aidera à aborder le problème sous un nouvel angle et avec une énergie renouvelée.

Exprime ton affection

Y a-t-il des gens importants à tes yeux? Des gens qui te manqueraient terriblement s'ils ne faisaient plus partie de ta vie?

Dis-le-leur. Ça les rendra heureux. Et toi aussi!

Tu pourrais manifester ton affection envers des gens :

- 🖋 En faisant un geste spécial à leur égard.
- 🖋 En exprimant tes sentiments dans un poème ou un dessin.
- 🖋 En leur écrivant un mot dans une carte ou un courriel, ou même sur un petit bout de papier.
- 🖋 En leur offrant un cadeau.
- 🖋 En leur faisant un câlin.

Fais des compliments

As-tu vu la façon dont elle a frappé le ballon de soccer? C'était une passe parfaite! Et sa présentation sur les Incas était fabuleuse! Tu as tellement appris!

Un compliment est l'une des choses les plus faciles à offrir.

— Tu as le plus beau rire du monde!

— Quel beau dessin!

— J'ai aimé ta présentation.

— Cette couleur te va bien.

Les meilleurs compliments sont ceux qui viennent du fond du cœur. Un compliment sincère permet toujours à l'autre personne de se sentir importante et appréciée.

Accepte les compliments

Parfois, on peut se sentir mal à l'aise quand on nous fait un compliment.

Il est tentant de le rejeter en répliquant : «N'importe qui aurait pu le faire.» Ou en protestant que le compliment n'est pas mérité : «C'était un hasard. Je ne savais même pas où était Julia quand j'ai envoyé le ballon vers le but!»

Résiste à la tentation. Quand tu déclines un compliment :

1. Tu ne te rends pas service.
2. Tu prives l'autre personne de l'occasion de te complimenter et tu ne reconnais pas la valeur de son opinion.

À la place, accepte ces paroles gentilles en disant simplement « merci ».

Pèse le pour et le contre

La vie est remplie de choix, et il n'est pas toujours facile de savoir quelle voie emprunter.

Comparer les avantages et les désavantages de chaque décision t'aidera à faire de meilleurs choix. Une façon de procéder, surtout quand tu dois choisir entre deux options claires, est de dresser une liste des pour et des contre.

Inscris ta question sur une feuille de papier. Crée deux colonnes dessous. Dans l'une, écris toutes les bonnes raisons de prendre une certaine décision. Dans l'autre, écris toutes les raisons de ne pas la prendre. Compare les deux colonnes.

Tu remarqueras peut-être qu'il y a plus d'avantages que d'inconvénients à dire OUI ou vice-versa.

Si les deux colonnes sont aussi longues, ce n'est pas grave. Tu auras appris qu'il n'y a pas une seule bonne réponse. Tu auras plus d'assurance et tu seras moins stressé en prenant ta décision.

Devrais-je faire partie de l'équipe de natation?

POUR

Très amusant

Permet d'avoir de nouveaux amis

Je ferais de l'exercice

CONTRE

Demande beaucoup de temps

Je n'aime pas me lever tôt (l'entraînement est chaque jour avant l'école)

Risque de nuire à mes notes

Pratique la relaxation progressive

Cette technique est une excellente façon de te détendre rapidement!

Trouve un endroit calme où tu peux t'asseoir confortablement et ne pas être dérangé. Ferme les yeux.

Concentre-toi mentalement sur ton pied gauche. Plie les orteils en contractant les muscles au maximum durant cinq secondes. Puis relâche-les. Tends de nouveau les muscles très, très fort, durant cinq secondes. Laisse tes orteils relaxer.

Prends un moment (environ quinze secondes) pour remarquer à quel point ton pied est maintenant lourd et mou. Ensuite, fais la même chose avec l'autre pied.

À présent, contracte ton pied ET les muscles de la partie inférieure de ta jambe gauche. Recommence le processus. Change de jambe et répète une nouvelle fois.

Continue à contracter et relâcher les différents muscles de ton corps, en passant d'une partie à l'autre.

Quand tu auras fait le tour de tous tes muscles, prends une pause pour observer ce que tu ressens. Tu te sens plus léger et décontracté, non?

Suis cette séquence :

- Pied gauche
- Pied droit
- Pied et jambe inférieure gauches
- Pied et jambe inférieure droits
- Jambe gauche au complet
- Jambe droite au complet
- Main gauche (serre le poing)
- Main et bras gauches
- Main droite
- Main et bras droits
- Fesses
- Ventre (rentre-le)
- Poitrine (inspire à fond)
- Dos (ramène les omoplates au centre)
- Cou
- Épaules (hausse-les vers tes oreilles)
- Bouche (ouvre-la très grand)
- Yeux (serre les paupières)
- Front (hausse les sourcils,
  puis fronce-les)

Fais de la musique

Il n'est pas nécessaire d'être un violoniste de concert pour produire des sons joyeux. Joue *Frère Jacques* sur un piano jouet. Remplis des verres d'eau et joue un air à l'aide d'une cuillère. Secoue des boîtes de pâtes en agitant les hanches au rythme de tes rigatonis en fête!

Peu importe ta façon de jouer, la musique te procure un sentiment de bien-être et te permet de t'exprimer. Mais ce n'est pas tout. En entendant la musique que tu produis, ton cerveau sécrète de la dopamine, une substance chimique qui donne une sensation de plaisir et de satisfaction.

Saute de joie

Quand tu as besoin de te remonter le moral, saute!

Par exemple :

- Saute à la corde
- Fais 20 sauts avec écart
- Saute sur un trampoline

Tiens un journal

Ton journal est à toi, rien qu'à toi. C'est privé.
Tu peux y écrire ce que tu penses, ce que tu
ressens. Tenir un journal te permet d'exprimer
ce qui te préoccupe (peu importe ce que c'est!)
et de voir les choses sous un autre angle.

Un journal n'a pas besoin d'être recherché. Il
peut s'agir d'une pile de feuilles dans une reliure
à anneaux ou d'un vieux carnet décoré à ton
goût.

Tu peux y écrire chaque jour ou quand le cœur
t'en dit. C'est toi qui décides. Peu importe ta
façon de procéder, un journal est une excellente
façon de faire le ménage dans ta tête.

Évite les racontars

Ce n'est pas amusant de faire l'objet de racontars. Même les mauvaises langues sont stressées. Ce n'est pas étonnant : les gens qui nous racontent des potins risquent d'en raconter aussi sur *nous*.

Évite donc les racontars. Voici comment :

- Ne sois pas celui qui répand des rumeurs. Même si c'est excitant de partager une nouvelle croustillante, tu auras la réputation de ne pas être digne de confiance.
- Si quelqu'un d'autre le fait, interromps-le en disant que tu n'es pas intéressé ou éloigne-toi.
- Fréquente des amis qui parlent d'idées, et non d'autres personnes.

Suis une routine

Pause à 16 h

Devoirs à 17 h

Souper à 18 h

Piano à 19 h

Bain à 20 h

Lecture à 20 h 30

Au lit! 21 h

À première vue, avoir une routine quotidienne prévisible peut sembler monotone. Mais c'est tout le contraire! La routine peut t'aider à garder les pieds sur terre et à économiser du temps. Avec moins de décisions à prendre chaque jour, tu conserveras la puissance de ton précieux cerveau pour les décisions vraiment importantes!

Danse

Oublie ton humeur maussade en faisant une fête rien que pour toi! Écoute tes chansons favorites en exécutant des mouvements de danse déchaînés (boule disco facultative).

Tourne sur toi-même

Souviens-toi, lorsque tu étais enfant, tu écartais les bras pour tourner sur place, comme l'hélice d'un hélicoptère? C'était siiiiii agréable! Tu tournais jusqu'à épuisement, puis tu tombais par terre et tu sentais le monde tourner autour de toi.

Tu n'as pas besoin d'être un petit enfant pour jouer à l'hélicoptère. Retrouve ce merveilleux sentiment d'abandon en tournant sur place dès maintenant!

Vois les choses autrement

Que vois-tu dans cette image?

Certains voient un vase. D'autres voient deux visages. Les deux sont vrais. Cela dépend seulement du point de vue!

C'est pareil pour tes problèmes : tu peux être coincé dans une façon de voir les choses, mais en changeant de point de vue, la même situation te paraîtra soudain totalement différente.

45

Va te promener

Quand tu te balades, tu n'as pas besoin d'avoir une destination précise. Le simple fait de sortir à l'extérieur et de te dégourdir les jambes est agréable.

Commence en marchant vite. Fais de longues enjambées. Laisse tes bras se balancer librement. Fais circuler ton sang plus vite.

Après quelques minutes, ralentis. Regarde le ciel. Observe ce qui se passe autour de toi. Qu'entends-tu? Que sens-tu? Qu'est-ce qui est *différent* par rapport à ta dernière promenade sur cette route?

Presque toutes les activités peuvent être transformées en jeu. Tu dois ranger ta chambre? Attribue des points à chaque article que tu remets à sa place. Dès que tu atteindras ton objectif, tu gagneras! (N'oublie pas de t'accorder des points de style pour ta technique de pliage!)

Joue

Cela peut te prendre deux minutes (Tic-tac-toe) ou toute la journée (Monopoly).

Le jeu peut être individuel (Patience) ou collectif (Cache-cache).

Tu peux jouer avec du papier et un crayon (Bonhomme pendu), un ballon de basketball (HORSE) ou une console de jeux vidéo (Minecraft).

Tu peux jouer avec un bébé (Coucou! Caché!) ou un animal (Va chercher!).

Peu importe le jeu, tu seras gagnant puisque tu diminueras ton stress!

Profite de l'eau

As-tu remarqué que les beaux jardins ont presque toujours un élément aquatique, comme une jolie fontaine ou même un simple bain d'oiseaux? C'est parce que l'eau aide les gens à se sentir calmes et sereins.

Si tu as la chance de vivre près de l'eau, essaie d'en profiter. Marche sur les berges, enfonce tes orteils dans le sable de la plage. Suis un sentier qui longe la rivière. Lance une branche dans l'eau et regarde-la disparaître au fil du courant. Tu sentiras tes problèmes s'éloigner, eux aussi.

Tu peux profiter de l'eau même s'il n'y a pas de lac à proximité :

- Télécharge des bruits de vagues sur une plage ou de gouttes de pluie sur un toit en tôle.
- Va à la piscine de ton quartier pour une baignade rafraîchissante.
- Procure-toi une fontaine de table peu coûteuse pour amener cet agréable gargouillis à l'intérieur.
- Sors ton canard de caoutchouc et prends un bain.

Dessine

As-tu du mal à exprimer tes sentiments en paroles? Essaie de les dessiner. Il n'est pas nécessaire d'avoir un talent particulier en dessin. Tu n'as pas besoin non plus de matériel compliqué. Il suffit de te donner la permission de dessiner tout ce qui te vient à l'esprit.

Le dessin oblige tes yeux et ta main à travailler ensemble dans un rythme répétitif et agréable, ce qui calme ton système nerveux. Quand tu te concentres sur les détails de ton dessin, cela fait taire le tohu-bohu incessant dans ton esprit. Tu vis davantage dans le moment présent, ce qui est très apaisant.

Quand tu dessines, peu importe le sujet, ton inconscient a l'occasion de s'exprimer. Tu te sentiras mieux après avoir mis sur papier ce qui te préoccupait.

Aie un discours intérieur positif

Le discours intérieur est la petite voix dans ta tête qui te parle tout au long de la journée. Bien souvent, c'est un discours négatif : «Je suis pourri en sport.», «Ils vont rire de moi.», «Je vais échouer à ce test.» Sans même t'en rendre compte, tu deviens ton pire ennemi.

Quand tu entends cette voix te rabaisser dans ta tête, demande-toi : «Est-ce que c'est vrai?» (Ce ne l'est probablement pas!) Ensuite, réplique avec une pensée positive : «Je suis intelligent. J'ai étudié et je suis bien préparé. Je vais réussir ce test.»

Tu te sentiras mieux. Avec une attitude plus réaliste, tu auras plus de chances de réussir dans tout ce que tu entreprends!

La meilleure façon de se remonter le moral est de faire quelque chose de gentil pour quelqu'un. Tu illumineras sa journée par cet acte généreux, et le fait d'avoir été prévenant envers autrui rendra ta propre journée plus belle.

Donne au suivant

Au lieu de *rendre* la pareille à quelqu'un qui t'a rendu service, *donne* au suivant en accomplissant quelque chose pour une autre personne.

Quand tu donnes au suivant, ce geste attentionné peut avoir d'importantes répercussions. Comme des ondulations dans l'eau, il s'étend d'une personne à l'autre, d'un endroit à l'autre. Chaque bonne action que tu fais se multiplie.

Passe à l'action

As-tu tendance à remettre au lendemain les tâches qui te déplaisent? Cela peut sembler une bonne idée de prime abord, mais ce comportement risque d'entraîner d'autres problèmes. Tu peux être contraint d'accomplir cette tâche en toute hâte à la dernière minute. Ou même (oups!) l'oublier totalement. Et là, tu seras dans le pétrin!

Une chose est certaine : remettre les choses au lendemain augmente invariablement le niveau de stress.

Suis ces conseils pour combattre cette mauvaise habitude et te réapproprier du temps bien mérité :

- ✐ Fais ton travail sans tarder. Tu t'apercevras qu'une fois commencée, ta tâche s'accomplira aisément. Tu auras terminé en un rien de temps!

- ✐ Fixe-toi un délai pour le début et la fin d'une tâche. Puis essaie de t'y conformer.

- ✐ Effectue d'abord les parties faciles. Sentir que tu as déjà accompli une bonne partie rendra les éléments ardus moins insurmontables.

- ✐ Rappelle-toi tous les avantages dont tu bénéficieras une fois que ce travail sera terminé. Cela te poussera à te relever les manches.

- ✐ Ne t'inquiète pas à l'idée que ce ne soit pas «parfait». La perfection n'existe pas. Une tâche terminée est préférable à une tâche inachevée.

> Souviens-toi : tu peux *admirer* une sculpture de marbre, mais tu *adores* ton ours en peluche tout doux et usé.

Célèbre l'imperfection

Personne n'est parfait. Pourtant, nous croyons souvent que nous devrions l'être et nous sommes déçus de ne pas être à la hauteur de ces attentes irréalistes.

Ne gaspille pas ton énergie à essayer d'être parfait. Célèbre plutôt l'*imperfection*. Ce sont tes petites manies qui te rendent unique et attachant.

Note un de tes
soucis sur un bout de
papier, puis chiffonne-le.
Regarde comme ton souci
est devenu petit!

N'en fais pas une montagne

Laisses-tu les petits problèmes GROSSIR de plus en plus dans ton esprit, jusqu'à ce qu'ils semblent des obstacles insurmontables? C'est ce qui s'appelle faire une montagne de quelque chose. Même les petits obstacles peuvent t'arrêter si tu les imagines beaucoup plus gros qu'ils ne le sont vraiment.

Quand tu te surprends à imaginer qu'un problème est trop difficile à surmonter, lève la main comme si tu disais «arrête!» Qu'est-ce que ta main bloque de ta vue? La chaise à l'autre bout de la pièce? Un arbre au loin? Ton problème est comme la chaise ou l'arbre. Peu importe sa taille, tu as le pouvoir de le ramener à une dimension plus petite que ta main. C'est une question de perspective!

Ouvre une fenêtre d'inquiétude

Passes-tu beaucoup de temps à t'inquiéter?
Crée une nouvelle règle qui limitera le temps
passé à te faire du souci à une période courte
et précise, appelée «fenêtre d'inquiétude». (La
fin de l'après-midi est un bon moment pour
cela. Par contre, la période précédant l'heure du
coucher l'est moins.)

Si tu te surprends à te tracasser à un autre
moment de la journée, dis-toi : «Je vais y
penser durant ma fenêtre d'inquiétude.» Écris-
le et promets-toi d'y revenir plus tard. Ensuite,
tourne ton attention vers autre chose. Avec de
l'entraînement, tu deviendras de plus en plus
apte à repousser tes inquiétudes à plus tard. Tu
reprendras le contrôle de tes pensées au lieu
d'être contrôlé par elles.

Laisse tes soucis à la porte

Dépose un panier près de la porte de ta maison où tu peux déposer tes clés et ton sac à dos en arrivant. Mets-y aussi tes soucis! Cette pratique enverra le message à ton cerveau que tu as atteint un refuge où tu peux enfin te détendre. *Aaaahhh!*

Rédige une liste de soucis

Durant ta fenêtre d'inquiétude, dresse une liste des choses qui t'inquiètent. Place-les en ordre d'importance, de la plus alarmante à la moins préoccupante. Voir tes problèmes sur papier leur donnera une allure moins menaçante.

En relisant ta liste, tu remarqueras peut-être que les tracas qui te paraissaient si pénibles à midi semblent maintenant moins préoccupants. C'est un rappel que les inquiétudes sont passagères et ne devraient pas gâcher ta journée.

Fais un remue-méninges

Quand on s'inquiète, on repasse un problème en boucle dans sa tête. On imagine le pire et cela finit par devenir une habitude.

À la place, examine bien ton problème : «Je vais échouer à mon examen!» Y a-t-il une action concrète qui pourrait changer la situation? «Je pourrais établir un horaire pour étudier et m'y conformer.»

Fais un remue-méninges pour trouver un maximum de solutions aux problèmes de ta liste. Si tu es coincé, demande l'avis d'amis, de ta famille ou de tes enseignants. Avec un plan d'action en main, tu pourras rayer ces soucis de ta liste — de façon permanente.

Accepte l'incertitude

Beaucoup d'inquiétudes découlent de «Et si...» imaginaires. Et s'il y avait une apocalypse de zombies? Et si je racontais une blague et que personne ne riait? Et si je me perdais lors de ma première journée à l'école?

Ce type de tourment peut être diminué en élaborant un plan d'action. Le secret est d'accepter que tu ne peux pas tout contrôler dans la vie. Par contre, tu peux espérer que les gens qui t'entourent et toi serez capables de résoudre le problème *s'il se produisait un jour.*

Par exemple, si tu crains de ne pas pouvoir trouver ton chemin dans ta nouvelle école, dis-toi que tu pourras trouver une solution *ce jour-là.* Tu pourrais demander à un autre élève ou un enseignant de t'indiquer où est la cafétéria. Il n'est donc pas nécessaire de te tracasser aujourd'hui à propos d'une difficulté potentielle que tu pourras résoudre le moment venu.

Lâche prise

Tu vieillis, et ce faisant, tu deviens de plus en plus responsable de toi-même et de tes actions. C'est peut-être toi qui prépares maintenant ton sac repas au lieu que quelqu'un le fasse pour toi.

Peu importe ton âge, tu ne deviens jamais responsable de *tout*. (Tu dois peut-être préparer ton repas, mais tu n'as pas besoin de faire pousser les ingrédients!)

Pourtant, certaines personnes ont l'impression d'être responsables de tout. Cela leur impose beaucoup de pression et peut mener à de la frustration quand les choses ne se déroulent pas comme prévu.

Tu ne peux pas tout contrôler. C'est impossible. Dans la vie, certaines choses sont incertaines, et ce n'est pas ton rôle de changer cela.

Va dans la nature

Passer du temps en plein air, en pleine nature, est reconnu comme un bon moyen d'atteindre la paix intérieure. Les études indiquent que cela modifie la façon dont le sang circule dans le cerveau. Il se rend moins dans les zones associées aux pensées négatives, ce qui aide à oublier les problèmes et suscite une sensation d'apaisement.

Observe une libellule qui traverse un pré ou une «hélice» d'érable qui tournoie dans les airs. Inspire profondément l'air à l'odeur de pin en te promenant dans la forêt. Examine les pétales jaunes d'un pissenlit, blottis l'un contre l'autre, imbriqués comme des tuiles sur un toit. Même au cœur de la ville, la nature se manifeste : une fleur qui pousse dans une fissure de trottoir, la neige qui luit au clair de lune. Tu n'as qu'à ouvrir l'œil!

Fais entrer la nature chez toi

Crée un jardin sur un rebord de fenêtre. Les plantes ne sont pas seulement jolies; elles t'aident à te sentir bien. Elles libèrent de l'oxygène qui débarrasse l'air ambiant du dioxyde de carbone. Ton corps n'en fonctionnera que mieux! Les plantes sentent bon et sont agréables à regarder. Les admirer et humer leur parfum est excellent pour le moral.

Prendre soin des plantes contribue aussi à réduire le stress. Cette activité constituera un répit dans tes tâches routinières et te distraira de tes préoccupations.

Passe du temps avec un animal

Va promener ton chien, chahute avec ton chaton, nourris ton poisson...

Passer du temps avec les animaux est un moyen pas bête de réduire le stress!

Tu n'as pas d'animal de compagnie?

- Va dans une animalerie.
- Propose à un voisin de promener son chien.
- Visite un zoo ou un aquarium.
- Écoute les oiseaux dans le parc.
- Fais du bénévolat dans une ferme ou un refuge pour animaux.

Essaie une nouvelle activité

Si tu te sens stressé, la dernière chose que tu devrais faire, c'est relever un nouveau défi, n'est-ce pas? Pas nécessairement.

Parfois, essayer une nouvelle activité est *exactement* ce qu'il te faut. Quand tu prends un risque, tu te sens plus excité et motivé. En apprenant quelque chose de nouveau, tu te sentiras plus sûr de toi et tu auras un point de vue différent.

Alors, lance-toi!

Repars à zéro

Chaque matin, tu te réveilles pour une nouvelle journée, un nouveau départ. N'est-ce pas? À moins que tu ne transfères les inquiétudes, frustrations et déceptions de la veille à ce nouveau jour?

La journée d'hier appartient au passé.

Quand tu te couches le soir, imagine la journée comme une page d'album photo. Examine tes activités de ce jour-là, les expériences que tu as vécues. Décide desquelles tu veux garder et débarrasse-toi des autres.

«Colle» tes préférées sur la page de ton album mental. Ensuite, tourne la page pour avoir une nouvelle page blanche pour le lendemain.

Apprends de tes erreurs

Tout le monde fait des erreurs. C'est un aspect important du développement et de l'apprentissage. C'est la façon dont on réagit aux erreurs qui fait la différence.

Grimaces-tu au souvenir d'une de tes gaffes, en te promettant de ne jamais, jamais y repenser? Ou bien réfléchis-tu à une meilleure façon d'agir la prochaine fois? Autrement dit, utilises-tu tes erreurs pour apprendre et t'améliorer?

Une erreur est une porte vers la découverte. C'est seulement une erreur si tu ne t'en sers pas pour évoluer.

Transpire!

Va courir. Pédale avec énergie sur ton vélo. Patine. Nage. Soulève des poids. Danse. Peu importe ce que tu fais, bouge suffisamment pour transpirer!

Transpirer est l'une des meilleures façons d'éliminer le stress. Quand tu as le souffle court et que tu essaies d'atteindre ton prochain objectif ou quand tu te mets en position pour lancer au but, tu ne penses à rien d'autre! Un exercice vigoureux est un excellent moyen de te vider l'esprit.

Les exercices aérobiques réduisent les niveaux de cortisol, une hormone liée au stress. Une séance d'entraînement cardiovasculaire libère des substances neurochimiques appelées endorphines, grâce auxquelles tu te sens plus heureux et détendu. L'exercice physique brûle également l'énergie nerveuse qui te rendrait maussade et tendu. Après une bonne séance d'exercice, tu te sentiras fatigué, mais détendu. Alors, *transpire!*

Tu te sens inspiré?
Prends un marqueur pour décorer
une pierre de souci avec des dessins,
un motif intéressant ou un mot
significatif. Ou crée ton propre galet
au moyen de pâte à modeler séchant
à l'air. Donne-lui la forme
que tu veux!

Trouve une pierre de souci

La prochaine fois que tu feras une promenade, observe le sol à la recherche de cailloux. Choisis-en un qui est petit et lisse et qui tient bien au creux de ta main.

Glisse ce galet dans ta poche. Garde-le sur toi toute la journée. Quand tu seras tendu ou nerveux, touche-le. Laisse sa forme et son poids familiers te calmer. Sa texture lisse et douce aidera à aplanir les obstacles.

Fabrique une balle antistress

Jouer avec une balle molle et spongieuse suscite un sentiment de détente.

Il te faut :

  250 à 500 ml de sable ou de farine

  2 sacs de plastique refermables

  1 chaussette en coton

  du ruban adhésif en toile

1. Verse le sable ou la farine dans un des sacs jusqu'à obtenir la taille voulue. Referme le sac.
2. Mets le sac plein dans l'autre, et referme-le.
3. Scelle bien le sac avec le ruban adhésif. Cela empêchera le contenu de se déverser.
4. Glisse le sac dans le bout de la chaussette.
5. Noue la chaussette pour garder le sac en place. Retourne le tissu en trop pour recouvrir le nœud et la balle.
6. Décore la balle à ta guise.
7. Serre-la.

Crée un bocal de soucis

Tu as un souci qui ne cesse de te tracasser? Mets-le dans un bocal!

Inscris-le sur un bout de papier, dépose-le dans le bocal et referme le couvercle.

Laisse le bocal retenir l'inquiétude à ta place, pendant que tu vas faire une autre activité. Tu pourras y revenir durant ta fenêtre d'inquiétude (p. 56).

> N'oublie pas de prendre une pause! Tu n'as pas besoin d'être actif sans arrêt. Parfois, il suffit d'*exister*.

Ne sois pas trop dur envers toi-même

Ne sois pas trop exigeant à ton propre égard. Oui, tu veux faire de ton mieux. Mais tu ne peux pas toujours exceller. Sois indulgent. Tant pis si tu n'as pas réussi quelque chose à la perfection! Est-ce que cela sera toujours important la semaine prochaine? Le mois prochain? Dans cent ans?

Que conseillerais-tu à un ami qui s'en voudrait pour une erreur qu'il a commise? Lui dirais-tu : «Oublie ça... Passe à autre chose. Je t'aime quand même.» Alors, dis-toi la même chose!

Planifie une activité amusante

Organise un marathon de films avec un groupe d'amis. Ou bien une sortie au zoo. Rassemble tes copains un samedi matin pour une partie de football au parc. Quand tu planifies et organises une activité amusante, tu es gagnant sur trois plans :

1. Tu te réjouis à l'avance en pensant au plaisir que tu auras.
2. Tu te changes les idées.
3. Tu t'amuses!

Confie-toi

Confier ses sentiments à un ami est très libérateur. Exprimer comment tu te sens à haute voix rend les émotions déplaisantes comme la peur et la confusion plus faciles à affronter. Partager des émotions heureuses comme l'excitation et la fierté décuple la joie ressentie.

Si tu as envie de te confier, mais que tu n'as personne près de toi, parle à un animal en peluche. Ou à un arbre. Mieux encore, prends le téléphone et appelle quelqu'un!

Chanter libère des endorphines et de l'ocytocine, des substances chimiques qui procurent une merveilleuse sensation de bien-être! C'est également un bon exercice aérobique.

Chante

Tu peux chanter sous la douche ou dans une chorale. Peu importe où et comment, chanter est un moyen efficace de te remonter le moral. Ne t'inquiète pas de la qualité de ta voix. La plupart d'entre nous ne seront jamais des chanteurs d'opéra. Et après? Chante pour ton propre plaisir.

Réagis autrement

Si tu mets une pomme de terre et un œuf dans une casserole d'eau bouillante, l'eau fera durcir l'œuf, mais ramollira la pomme de terre.

Heureusement, tu n'es ni un œuf ni une pomme de terre. Tu peux choisir ta façon de réagir aux incidents extérieurs. Imagine par exemple que le pique-nique auquel tu avais hâte de participer tombe à l'eau parce qu'il pleut. Tu pourrais passer la journée à bouder. Ou tu pourrais décider de t'amuser quand même et organiser un pique-nique à l'intérieur avec tes amis.

La musique est magique. Elle est si puissante que nul ne peut y résister.

Écoute de la musique

Écoute des chansons avec des écouteurs ou à pleins tubes. POUF! Tu es transporté dans un autre univers.

Tu peux te servir de la musique pour changer d'humeur. Si tu es déprimé, écoute des airs entraînants qui donnent envie de taper du pied ou de claquer des doigts. Ton cafard disparaîtra comme par magie!

Tu peux aussi utiliser la musique pour exprimer tes émotions. C'est exactement pour cette raison que le blues existe (et qu'il est si efficace!).

Certains parviennent à s'immerger plus complètement que d'autres dans une activité. Les athlètes et les artistes, par exemple, passent de longues heures à parfaire leur talent. Quand ils sont concentrés à fond, ils excellent.

Trouve un passe-temps

As-tu déjà été plongé dans une tâche, pour ensuite regarder l'horloge et constater que des heures ont passé à ton insu?

Quand tu es si absorbé que le monde autour de toi semble disparaître, tu es dans ta bulle. Dans ces moments-là, tu te sens plus excité, stimulé et heureux qu'en temps normal, comme si tu étais sur un nuage. C'est le contraire de l'ennui.

Pour te retrouver dans cet état :

1. Choisis une activité ni trop ardue ni trop facile. Si elle dure longtemps, tant mieux.

2. Commence par un objectif clair. « Je vais maîtriser ce morceau difficile au piano à temps pour le concert. »

3. Évite les interruptions. Elles te distraient et te font perdre ta concentration.

4. Savoure chaque moment. Un jour, tu lèveras la tête en disant : « Hé! Le temps a passé vite! » Tu t'apercevras que non seulement tu as atteint ton objectif, mais tu l'as dépassé.

Visualise

Il est naturel d'être nerveux quand on se lance dans une nouvelle activité qui représente un défi. Mais le trac qui précède une prestation peut être surmonté au moyen d'un truc bien connu des pros : la visualisation créative.

Cela signifie que tu imagines l'activité (par exemple, chanter en solo sur une scène) à plusieurs reprises avant le jour J. En incluant le plus de détails possible, visualise la scène entière dans ton esprit, de ton premier pas sur la scène jusqu'au dernier rappel. Représente-toi le tout clairement : la façon dont tu prononceras chaque mot, la position de tes mains, ton sourire ou haussement de sourcil à des moments-clés de la chanson.

Quand tu t'imagines à maintes reprises en train de réussir, tes chances de performer comme un champion montent en flèche.

Attends-toi à l'inattendu

Parfois, les choses tournent mal. C'est la vie.

Que tu sois en train de te préparer pour l'école un mardi matin, ou d'attendre avec impatience le jour du spectacle scolaire où tu es en vedette, il y a toujours un risque qu'un événement inattendu survienne et te complique la vie.

Tu n'es pas obligé de laisser des incidents se transformer en catastrophe.

Imagine à l'avance des anicroches possibles, puis prévois des solutions pour les éviter. Par exemple, tu dois présenter ton projet d'équipe le lendemain matin? Demande à un membre de ta famille de s'assurer que tu te lèves à l'heure, au cas où ton réveil capricieux ne sonnerait pas.

Un peu de préparation rend les anicroches plus faciles à contrôler. Si tu t'attends à l'inattendu, tu peux aussi t'attendre au succès!

C'est en forgeant
qu'on devient
forgeron.

Applique-toi

Une des raisons pour lesquelles on est nerveux,
surtout avant une activité inhabituelle ou
difficile, est que nous craignons de ne pas
être à la hauteur. Voici un moyen imparable de
surmonter cette peur : connaître notre sujet à
fond.

Maîtriser totalement la matière en question
augmente la confiance en soi et calme la
nervosité.

Plus tu travailles fort sur quelque chose, plus
cela devient facile. Et plus c'est facile, moins
c'est stressant!

Avec une bonne préparation, tu seras plus
détendu et confiant. Tu pourras atteindre ton
objectif avec succès, tout en t'amusant!

Suis ton instinct

T'arrive-t-il de ressentir une drôle de sensation au creux du ventre ou un chatouillement inconfortable sur la nuque? Cela t'indique que quelque chose cloche, sans que tu puisses mettre le doigt dessus.

Ces sensations physiques sont des signes que ton *intuition* (ou ton subconscient) est à l'œuvre. Ton intuition remarque toutes sortes de détails que ton esprit conscient ne voit pas. Elle travaille rapidement, plus vite que ton esprit conscient.

Fais confiance à ton instinct. Écouter ce qu'il te dit t'aidera à prendre de meilleures décisions. Tu éviteras des situations stressantes *avant* qu'elles ne deviennent insurmontables.

L'intuition peut aussi t'indiquer quand la situation est positive : par exemple, que tu devrais t'inscrire pour une excursion en ski ou que le nouvel élève va devenir ton meilleur ami pour la vie. Écoute ton intuition et suis ses bons conseils!

Crée une oasis

Tout le monde a besoin d'un endroit où relaxer, être soi-même, se contenter d'*exister*.

Réserve un coin de ta chambre (ou ta chambre entière, si tu ne la partages pas avec quelqu'un) pour créer une oasis personnelle. Décore-la de couleurs sereines. Garde ce coin en ordre, car le désordre et le fouillis visuel ont tendance à rendre les gens anxieux. Privilégie un éclairage tamisé, une musique douce, les écrans éteints. Tu seras étonné de la vitesse à laquelle ton stress se dissipera quand tu entreras dans ton oasis.

Évade-toi

C'est acceptable de s'évader dans un autre monde, du moins temporairement.

Pelotonne-toi sur le canapé avec un récit de cape et d'épée. Regarde ta série télé préférée. Crée un organigramme des personnages de ton film favori ou dessine le royaume imaginaire d'un poney volant violet. Construis une tour géante en Lego ou un vaisseau spatial époustouflant. Écris une histoire à propos de ton personnage préféré.

En prenant de minivacances dans un monde imaginaire, tu te libères des pressions du monde réel. Tu en ressortiras probablement frais et dispos, avec une super histoire à raconter!

Fais un casse-tête

Tu as besoin de te changer les idées? Distrais-toi grâce à des mots croisés, un sudoku, un labyrinthe ou un casse-tête. Peu importe ce que tu choisis, pendant que ton esprit s'amusera à trouver les solutions, il sera trop occupé pour songer à d'autres problèmes.

Réfugie-toi dans ton petit coin de paradis

Pense à un endroit que tu adores, un lieu où tu te sens heureux et en sécurité. Ou bien pense à un objet qui te donne cette impression. Les gens désignent ces images par l'expression «petit coin de paradis» ou «havre de bonheur». Lorsque tu te représentes mentalement ce lieu, tu te sens aussitôt plus calme.

Pourquoi? Ton cerveau ne peut pas toujours faire la différence entre l'imagination et la réalité. Si tu imagines quelque chose avec suffisamment de précision, ton cerveau réagira comme si cela se produisait vraiment. Donc, si tu visualises une image positive, tu te sentiras plus heureux. Par contre, si tu t'imagines des scènes inquiétantes, tu seras moins serein.

Habitue-toi à visualiser fréquemment ton havre de bonheur. Lorsque tu verras cette image clairement dans ton esprit, appuie fermement le bout de ton pouce gauche sur l'extrémité de ton index gauche. Répète ce geste chaque fois que tu te représenteras ton coin de paradis. Ton cerveau commencera à associer ce mouvement avec une sensation de calme et de bonheur.

À l'avenir, quand tu auras besoin d'une petite bouffée de positivisme, tu n'auras qu'à joindre ces doigts! Tu constateras que ce simple geste suffit à susciter un sentiment de bien-être.

Prends le contrôle du futur

Tu n'as jamais été doué pour attraper la balle au baseball? Tu es loin d'être rapide sur la piste de course? Le passé n'est pas ta destinée! Autrement dit, le passé ne détermine pas le futur. Mais toi, oui!

Alors, oublie les déclarations du type : «Je suis nul au baseball» ou «Je ne serai jamais rapide à la course.» Elles donnent au passé plus de pouvoir qu'il n'en mérite.

À la place, pense à ce que tu dois faire pour réussir dans une activité donnée. Entraîne-toi à lancer la balle contre un mur et à la rattraper des centaines de fois pour améliorer ton jeu sur le terrain. Ou va courir chaque jour pour améliorer ton temps sur la piste. Prends le contrôle de ton avenir!

Pleure un bon coup

Lorsque tu pleures, tu aides ton corps à se débarrasser des hormones contribuant à ton sentiment d'inconfort.

Alors, pleure un bon coup. Tu te sentiras mieux après!

Exprime tes émotions

Parfois, tu as envie de crier AAAAAHH!

Vas-y, laisse-toi aller! Crie à pleins poumons. Martèle un oreiller. Lance un objet. Pleure.

Quand tu donnes libre cours à ces émotions, tu les rends plus faciles à surmonter. Après, tu te sens plus calme et tu as l'esprit plus clair.

Adopte un langage corporel de gagnant

Tu sais probablement que ton langage corporel, que tu sois assis ou debout, peut affecter la façon dont les autres te perçoivent. Mais savais-tu qu'il peut influencer ton propre état d'esprit?

Certaines positions, comme tenir les bras en V au-dessus de la tête, nous donnent l'impression d'être plus puissants ou victorieux. D'autres postures, comme croiser les bras et baisser la tête, nous font sentir petits et faibles.

Donne-toi un élan d'encouragement en choisissant des attitudes de gagnant lorsque tu es stressé. Tu peux le faire en privé pour te motiver avant un test, ou choisir consciemment d'adopter une de ces postures lors de situations sociales intimidantes.

Adopte l'une des positions suivantes durant deux minutes. Te sens-tu plus confiant par la suite?

- Tiens-toi debout (ou marche ou cours) avec les mains dans les airs, comme si tu étais le premier à franchir la ligne d'arrivée.
- Adosse-toi à une chaise, les mains sur la nuque. Étire les jambes ou pose-les sur une table.
- Place-toi debout et pose les deux mains à plat sur une table en y mettant ton poids.
- Tiens-toi debout, les pieds légèrement écartés et les mains sur les hanches. Et relève le menton!
- Assieds-toi sur un canapé, les jambes écartées et les bras étendus de chaque côté sur le dossier.

La prochaine fois que tu seras pris au dépourvu, dis : «Je ne sais pas... mais je vais me renseigner.»

Dis « Je ne sais pas »

Il est difficile d'admettre que tu n'as pas *toutes* les réponses. Et il est désagréable de ne pas se sentir dans le coup. Si désagréable, en fait, que bien des gens font de grands efforts pour éviter de paraître ignorants. Ils se vantent, fanfaronnent, baratinent ou mentent carrément, plutôt que d'avouer qu'ils ne sont pas au courant.

Pourtant, lorsque tu reconnais ne pas savoir quelque chose (*ouf!*), tu n'as plus besoin de te démener ou de le cacher. Tu es donc libre de découvrir la réponse et d'apprendre quelque chose de nouveau.

La plupart des gens n'auront pas une moins bonne opinion de toi parce que tu as admis ton ignorance. Au contraire, ils te respecteront pour ton honnêteté. Et cela mènera à des relations humaines plus riches et moins stressantes.

Dis « Je suis désolé »

Bon, tu as vraiment gaffé. Tu as commis une grosse erreur ou dit un truc ridicule et blessant à un ami. Tu te sens coupable. Par contre, il n'est pas trop tard pour arranger les choses. Tu peux inspirer profondément et présenter tes excuses.

Il est parfois difficile de s'excuser. C'est embarrassant de reconnaître ses erreurs. Mais en disant simplement « Je suis désolé », tu améliores aussitôt la situation.

Des excuses efficaces comprennent quatre éléments :

1. Tu présentes tes excuses.
2. Tu reconnais ta responsabilité.
3. Tu demandes ce que tu peux faire pour te racheter.
4. Puis tu le fais!

L'exclusion et le rejet figurent parmi les principales causes de stress chez les écoliers. Ce n'est pas étonnant : lorsque cela se produit, le cerveau réagit exactement comme lors d'une blessure physique. Ça fait mal!

Éloigne-toi

Certains groupes ou clans ne veulent pas inclure d'autres personnes. Ils le proclament haut et fort : «Interdiction de faire partie de notre clique!» Ils aiment le sentiment de pouvoir que ce refus leur inspire.

Accepte le fait qu'il y a de tels tyrans dans le monde, et que tu n'as pas besoin d'eux.

Ne perds donc pas ton temps à frapper à cette porte fermée. Éloigne-toi et va trouver d'autres amis qui t'aimeront tel que tu es.

90

Fais du bénévolat

La meilleure façon de cesser de te tracasser pour tes propres soucis est d'aider quelqu'un d'autre.

Le bénévolat te change les idées et t'aide à oublier tes petits problèmes. Il remet les choses en perspective. Avec des sujets plus intéressants en tête que «Qui a dit quoi à la cafétéria aujourd'hui?», les tracas qui te semblaient énormes à midi te paraîtront dérisoires en fin de journée.

Quand tu fais du bénévolat, tu rencontres des gens qui ont des valeurs similaires aux tiennes et qui deviendront peut-être des amis.

Ça fait du bien de se sentir utile tout en apprenant des choses intéressantes, ce qui risque de se produire si tu proposes ton aide pour une cause.

Enfin, attends-toi à recevoir un grand sourire et un merci sincère. Ce sont deux réactions qui te feront invariablement te sentir bien.

Célèbre l'échec

Dis donc! Tu as vraiment raté ton coup!
Quel échec colossal et incroyable! Sors les
décorations, les banderoles et les confettis.
C'est le temps de célébrer!

Échouer est une étape nécessaire de
l'apprentissage. Pense à un bébé qui s'efforce
de faire ses premiers pas et tombe à maintes
reprises. S'il abandonnait la première fois qu'il
tombe, il n'apprendrait jamais à marcher.

Plus tu tombes, plus tu apprends.

Alors, réjouis-toi de chacun de tes échecs. Si tu
n'échoues jamais, c'est parce que tu ne prends
jamais de risques. Et si tu ne prends pas de
risques, tu ne réussiras jamais.
Échec + échec = succès!

Pense à long terme

Chaque fois que tu te retrouves dans un état de panique à propos d'un détail particulier, demande-toi : «Cela sera-t-il important dans un mois? Un an? Cinq ans?»

Voir les choses à long terme aide à relativiser les tracas de la vie quotidienne. Tu ne te souviendras probablement pas de ce problème particulier dans quelques semaines. Sinon, ce sera en riant : «Je n'en reviens pas d'avoir eu du mal à dormir à cause de *ça!*»

Donne la priorité aux gens que tu aimes

Rien ne remonte plus le moral que de passer du temps avec des gens qu'on aime. Mais parfois, le temps de qualité avec des amis ou la famille cède le pas aux pressions d'un horaire trop chargé. Tu as l'intention de voir ces personnes, mais on dirait que le moment ne se présente jamais. Pas étonnant que tu te sentes tendu… et seul.

Inscris les rendez-vous avec les gens qui te sont chers en haut de ta liste de choses à faire. Note-les en lettres violettes sur ton calendrier. Et respecte ces engagements!

N'oublie pas : ce n'est qu'une opinion

Les gens négatifs sont partout. Ils te répètent toutes les raisons pour lesquelles tu ne dois pas ou ne peux pas essayer quelque chose de nouveau. Quand une personne essaie de te décourager, souviens-toi qu'elle exprime simplement une opinion.

Personne ne détient d'informations secrètes sur tes capacités. Ces gens ont simplement leurs propres opinions, pensées, craintes ou préjugés. Écoute-les; ils disent peut-être quelque chose que tu as besoin d'entendre, par exemple, que tu n'es pas bien préparé à entreprendre une activité. Mais ensuite, forge ta propre opinion.

Les gens ont le droit d'exprimer leur opinion, mais tu as aussi le droit d'avoir la tienne.

Fonce

C'est effrayant de prendre des risques. Mais
cela ne veut pas dire qu'il faut les éviter à tout
prix. Dans bien des cas, les avantages qui en
découlent surpassent les inconvénients.

Alors, vas-y!

Entre dans le groupe, le club, la chorale...

À long terme, rester à l'écart est plus difficile
que respirer profondément et foncer. Tu verras :
tu te féliciteras d'avoir pris un risque!